CENDRILLON

RACONTÉ PAR NICOLE VALLÉE
IMAGES DE DENISE CHABOT

LECTURE TRÈS FACILE

FERNAND NATHAN

© ÉDITIONS FERNAND NATHAN, 1971

Il était une fois un gentilhomme
qui vivait seul avec sa fille.
Celle-ci était très belle et très gentille.
Mais un jour, le père se remaria.
Sa nouvelle épouse avait deux filles,
laides et méchantes comme leur mère.
Elles détestèrent tout de suite
leur nouvelle sœur.

Bientôt, la pauvre enfant fut obligée
de faire les travaux les plus pénibles
de la maison, tandis que les deux autres
se promenaient ou se reposaient.

Lorsqu'elle avait fini son ouvrage,
elle allait se mettre au coin de la cheminée :
et s'asseoir dans les cendres.
C'est pourquoi ses méchantes sœurs
la surnommèrent « Cendrillon ».

Le père voyait bien
que sa fille était malheureuse,
mais il était faible et ne disait rien.
Or, voilà qu'un jour le roi donna un grand bal.
Toutes les jeunes filles du royaume
furent invitées, et les méchantes sœurs
achetèrent de belles robes
et de superbes bijoux.

Cendrillon, le cœur bien gros,
les aida à se parer et à se coiffer.

Après le départ de ses sœurs,
Cendrillon fondit en larmes.

Tout à coup, une belle dame lui apparut.
Elle sourit et dit :
— Je suis la fée, ta marraine.
Veux-tu aller au bal ?
— Oh ! oui, répondit Cendrillon, tout bas.
— Eh bien, va vite me chercher
une grosse citrouille dans le jardin !

Cendrillon obéit et la fée,
d'un coup de sa baguette magique,
changea la citrouille en un beau carrosse doré.

Puis elle transforma six souris
en six chevaux gris,
et le gros chat de la maison
en un cocher aux longues moustaches.

Enfin, de sa baguette magique,
elle toucha Cendrillon, et la jeune fille
fut aussitôt revêtue d'une robe magnifique,
parée de bijoux étincelants
et chaussée de pantoufles de « vair »,
c'est-à-dire en fourrure blanche et grise.
Cendrillon n'en crut pas ses yeux
et sa joie fut immense.

— Va vite, Cendrillon, amuse-toi bien, dit la fée,
mais n'oublie pas que tu dois rentrer à minuit,
bien exactement, car à minuit
l'enchantement cessera.

Cendrillon remercia sa marraine, l'embrassa
et sauta dans le carrosse
tiré par les six chevaux gris.

Dès que Cendrillon arriva au palais,
le Prince n'eut d'yeux que pour elle
et l'invita à danser.

Elle dansa avec tant de grâce
que tout le monde admira cette belle inconnue.

Mais soudain, Cendrillon s'aperçut
qu'il était presque minuit et s'enfuit du bal.

Le Prince voulut la suivre,
mais ne put la rejoindre.

Cependant, en s'échappant, Cendrillon perdit
l'une de ses petites pantoufles de vair,
que le Prince ramassa
et conserva précieusement.

Quand Cendrillon rentra chez elle,
le carrosse redevint une grosse citrouille,
les chevaux redevinrent des souris,
et le cocher fut à nouveau un gros chat tigré.

Ses sœurs et sa belle-mère
arrivèrent quelque temps après.
Elles trouvèrent Cendrillon assise,
comme d'habitude, près de la cheminée.

Devant Cendrillon, les trois femmes parlèrent
de la belle inconnue que le Prince avait fait
danser toute la soirée et qui s'était échappée
vers minuit.
— C'est sûrement une grande princesse !
dirent-elles.

Le lendemain, un messager du Roi
parcourut les rues de la ville
en lisant une proclamation :
« Le Prince veut retrouver l'inconnue du bal.
Il a ramassé la pantoufle de vair
que celle-ci a perdue

et le Cordonnier du Roi
est chargé de la faire essayer
à toutes les jeunes filles de la ville.
Le Prince épousera celle
qui pourra chausser la pantoufle. »

Aussitôt, le Cordonnier du Roi se rendit
dans toutes les maisons de la ville,
les unes après les autres,
mais aucune jeune fille n'eut le pied assez fin
pour chausser la petite pantoufle.

Quand le Cordonnier arriva chez Cendrillon,
les méchantes sœurs essayèrent en vain
de faire entrer leur pied dans la pantoufle.

Puis ce fut le tour de Cendrillon
qui la chaussa sans la moindre peine.
L'étonnement des deux sœurs fut grand,
mais plus grand encore quand Cendrillon
tira de sa poche la seconde petite pantoufle.
Au même instant, la fée apparut,
et d'un coup de sa baguette magique
elle transforma Cendrillon
en une merveilleuse princesse.

Dès le lendemain, le Prince épousa Cendrillon
en grande cérémonie.
Ils vécurent très longtemps, très heureux,
et ils eurent beaucoup d'enfants.
Comme Cendrillon était aussi bonne que belle,
elle pardonna à ses sœurs
et leur fit épouser deux seigneurs de la cour.

Achevé d'imprimer par
Artes Gráficas Grijelmo, S. A.
au mois de Avril 1983

N.° d'editeur: O 34085
Imprimé en Espagne